© Alex A. et Presse aventure inc., 2015

PRESSES AVENTURE INC.
55, rue Jean-Talon Ouest
Montréal (Québec) H2R 2W8
CANADA

groupemodus.com

Président-directeur générale : Marc G. Alain
Éditrice : Marie-Eve Labelle
Auteure des dossiers d'archives : Laurence-Marie Dufault
Auteur de la bande dessinée : Alex A.
Illustrateur : Alex A.
Designer graphique : Gabrielle Lecomte
Révision éditoriale et correction : Catherine LeBlanc-Fredette et Flavie Léger-Roy

ISBN version imprimée :
- 978-2-89751-080-0

ISBN versions numériques :
- ePub : 978-2-89751-261-3
- Kindle : 978-2-89751-262-0
- PDF : 978-2-89751-260-6

Dépôt légal — Bibliothèque et Archives nationales du Québec, 2015
Dépôt légal — Bibliothèque et Archives Canada, 2015

Tous droits réservés. Aucune section de cet ouvrage ne peut être reproduite, mémorisée dans un système central ou transmise de quelque manière que ce soit ou par quelque procédé électronique, mécanique, de photocopie, d'enregistrement ou autre sans l'autorisation écrite de l'éditeur.

Nous reconnaissons l'aide financière du gouvernement du Québec par l'entremise du Programme de crédit d'impôt pour l'édition de livres et du Programme d'aide aux entreprises du livre et de l'édition spécialisée — SODEC

Financé par le gouvernement du Canada

Imprimé en Chine en mars 2017

LES DOSSIERS SECRETS DE MOIGNONS

PRESSES AVENTURE

TABLE DES MATIÈRES

OBJECTIF : RÉSISTANCE
Chapitre 1

L'Agence n'est plus. Le Castor a finalement gagné. Grâce aux technologies ultra avancées de l'Agence et à l'armée du président Tibérius avec qui il s'est allié, le Castor a pris le contrôle du Premier Continent qu'il a rebaptisé : Terres du Castor.

Mais il reste un espoir. Martha, WXT, Moignons, Bulle, Billy et Henry sont toujours vivants et, de leur cachette secrète, ils se battent pour trouver un moyen de sauver ce qui reste de leur monde. On les nomme : la Résistance. Quant à l'Agent Jean… il a gardé le moral et a décidé de réapprendre le métier d'agent secret. Il est maintenant un élément important de la Résistance. Mais… redeviendra-t-il la légende qu'il était? Rien n'est moins sûr…

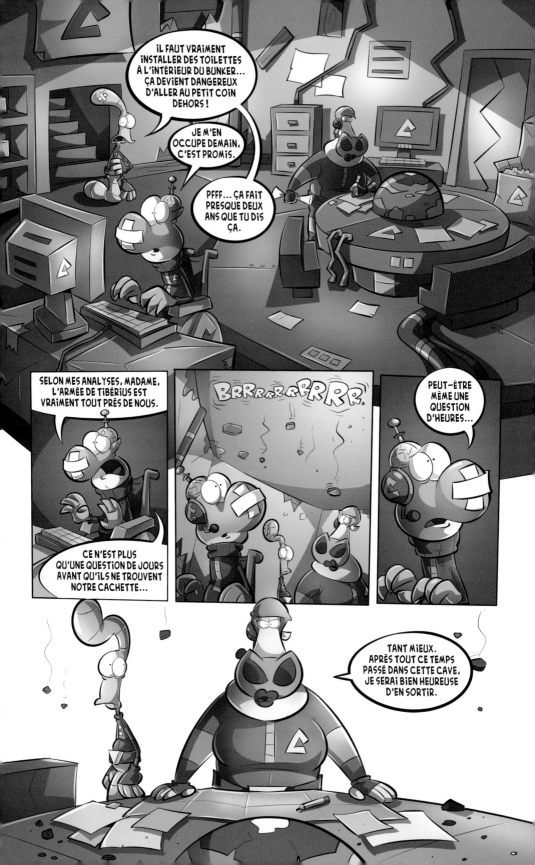

QU'EST-CE QUE C'ÉTAIT ?
DES GARDES DE MON PÈRE ?
WARGH !
ON DIRAIT UN MONSTRE !
ON RACONTE QUE DES CRÉATURES MUTANTES CRÉÉES PAR LE CASTOR VIVENT MAINTENANT SOUS LA TERRE...
ET QU'ELLES DÉVORENT TOUS CEUX QUI S'Y AVENTURENT !
WAAAAAAR !
HAAA !

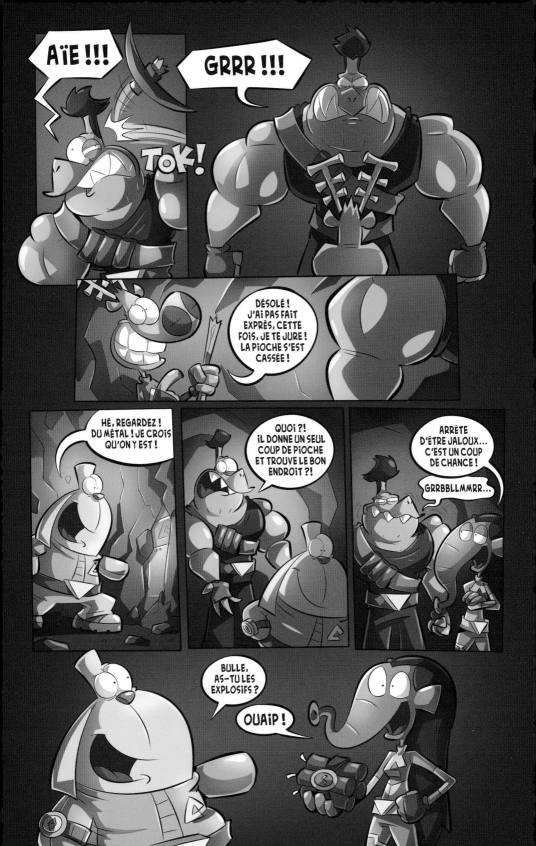

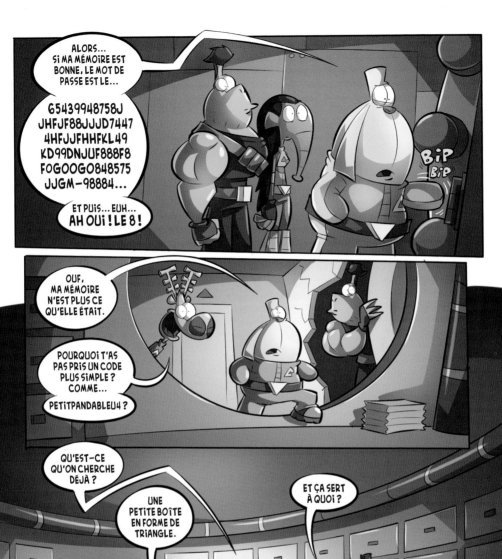

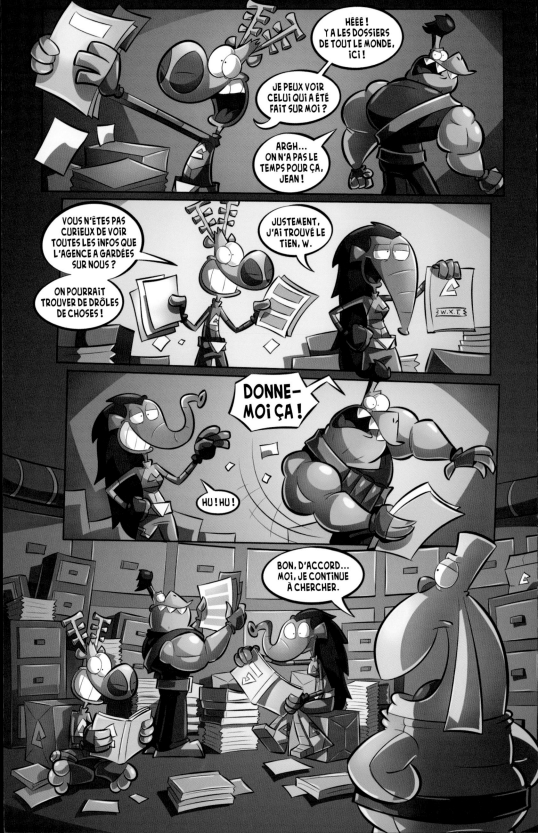

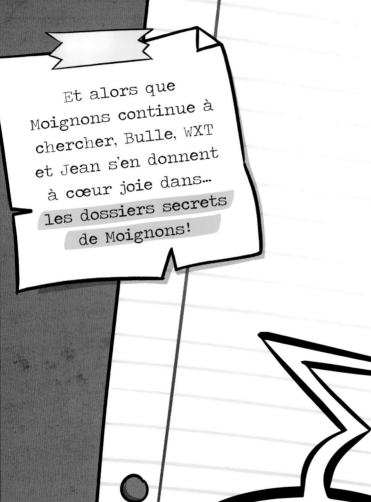

Les agents

MARTHA

Première apparition :

Mission 1, Le cerveau de l'apocalypse

Localisation :

Édifice A, Premier Continent

Une directrice passionnée

Chef de l'édifice A, Martha dirige les agents dans leurs missions et s'assure de la protection de son secteur, le Premier Continent. Sérieuse, professionnelle et surtout passionnée, elle se considère comme la protectrice de la planète. Martha est méfiante depuis les débuts de Jean à titre d'agent. Pourtant, jusqu'à maintenant, rien ne semble lui donner raison... Sachant cela, pas étonnant qu'elle demeure insensible aux blagues de Jean (d'accord, il faut avouer que son humour est parfois... douteux) !

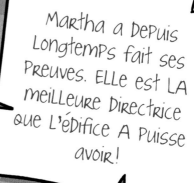

Martha a depuis longtemps fait ses preuves. Elle est LA meilleure directrice que l'édifice A puisse avoir !

DERNIÈRE MISE À JOUR :

Malheureusement, la conspiration qu'elle pressentait était bien réelle ! Ses doutes se sont confirmés il y a quelque temps lorsque le Castor a révélé son plan machiavélique ! Plus que prévoyante, Martha, sentant venir la menace, a élaboré un plan d'urgence et construit un abri grâce auquel nous avons pu poursuivre nos opérations. Un instinct remarquable. – Bulle

WXT

Première apparition :
Mission 1, Le cerveau de l'apocalypse

Localisation :
Édifice A, Premier Continent

De petit voleur à grand agent

Devenu orphelin très jeune, WXT grandit dans la rue. Il commet régulièrement de petits vols, jusqu'au jour où il tente de voler le sac d'une dame... qui n'est nulle autre que Martha ! Furieuse, mais impressionnée par l'agilité et l'audace d'un si jeune garçon, Martha décide de prendre WXT sous son aile.

Ambitions grandioses

Rapidement, il découvre la grandeur de l'Agence et, poussé par la légende de son héros, l'Agent S, WXT déploie alors tout son talent. Son objectif est désormais clair : devenir le meilleur agent que l'Agence ait jamais connu.

Le héros

WXT compte un parcours sans faille au sein de l'Agence, et il en est très fier. Ses ambitions sont toutefois freinées par l'arrivée d'un certain agent surdoué : l'Agent Jean. Pour WXT, toujours en recherche d'admiration, ce nouveau venu lui vole la vedette de missions dont il aurait dû être le héros. Cette rivalité pousse même WXT à quitter l'Agence... Une grande perte.

Ses plus grands exploits :

* Il a désamorcé la bombe G qui menaçait de détruire la côte ouest du Premier Continent;

* Il a traversé le plus long fleuve du monde à contre-courant, à la nage en style «petit chien».

DERNIÈRE MISE À JOUR :
JE SUIS DE RETOUR ! JAMAIS JE N'AURAIS LAISSÉ L'AGENCE EN PÉRIL. LE CASTOR, DANS L'ÉCHAFAUDAGE DE SON PLAN, A NÉGLIGÉ UNE SEULE CHOSE : MON INDÉFECTIBLE LOYAUTÉ ENVERS L'AGENCE ET MARTHA. – WXT

AL

Première apparition :

Mission 1, Le cerveau de l'apocalypse

Localisation :

Plages de l'Île Centrale,
Premier Continent

Le cœur à l'ouvrage

Avant sa retraite bien méritée (mais certainement pas prématurée), Al était
le plus vieux membre de l'Agence. Les organes artificiels qu'il a créés lui ont
permis de vivre plus de 140 ans à ce jour ! Il a un cœur de métal, des reins
en styromousse et un pancréas en laine tricoté de ses propres mains.

Le grand saut

Al est maintenant instructeur de parachute extrême sur l'Île Centrale du Premier
Continent et il essaie désormais de battre le record du plus haut saut.

JEAN

Première apparition :

Mission 1, Le cerveau de l'apocalypse

Localisation :

Édifice A, Premier Continent

Sauver le monde : un jeu d'enfant (et de faon)

Depuis son arrivée à l'Agence, Jean Bon a pulvérisé tous les records aux tests d'aptitude et a sauvé le monde des dizaines et des dizaines de fois. Mais au fond de lui, c'est un grand enfant. Toujours de bonne humeur, même dans les situations désespérées, il perçoit la vie et son travail comme un jeu. Il est patient et amical avec absolument tout le monde... même avec les criminels.

Héros de père en fils

Pour réussir ses missions, cet agent secret peu discret s'inspire de ses héros : les personnages de jeux vidéo et de films d'action... d'où son goût prononcé pour les explosions. Mais même si personne ne peut prévoir quelle tournure prendront ses missions, tout le monde sait que c'est de son père, le légendaire Agent S que Jean tient ses qualités exceptionnelles d'agent.

Euh, en fait, on me les a programmées, ces qualités-là. Je veux dire implantées. Biologiquement. Ou plutôt, génétiquement. Ou plutôt, bio-technico-génético-chose... Ah! Et puis demandez donc à Henry de vous expliquer! – Jean

Arrivée de Jean à L'Agence alors qu'il n'était encore qu'un petit bébé.

Le mignon petit Jean qui s'amuse avec son arme jouet favorite!

Jean et moi.

Argh! Il est tellement difficile à cadrer!

BILLY

Première apparition :
Mission 1, Le cerveau de l'apocalypse

Localisation :
Édifice A, Premier Continent

Un génie comique

Responsable de la sécurité, expert en informatique, champion de jeux vidéo : Billy est débrouillard et polyvalent. Mais malgré un impressionnant QI de 184, il préfère de loin faire des blagues plutôt que de travailler, d'où sa grande affinité avec l'Agent Jean. Billy n'est certainement pas l'agent le plus musclé de l'Agence (il est même plutôt mou) : c'est dur de courir sur un tapis roulant quand on est un ver de terre !

Vice caché

Billy est un mordu de sucre. Il aurait même une machine à sloche cachée dans sa chambre... Ça explique son problème d'insomnie. Il ne dort jamais plus de deux heures par jour et peut travailler jusqu'à 144 heures d'affilée !

Vive les mariés!

Billy est maintenant marié à Polo ! Toute l'Agence leur souhaite beaucoup de bonheur ! (Note à moi-même : penser à abolir le traditionnel lancer de Monsieur Moignons.)

DERNIÈRE MISE À JOUR :
Polo a disparu dans l'explosion et Billy est dévasté... Le Castor nous a-t-il donc tout pris ?
– Bulle

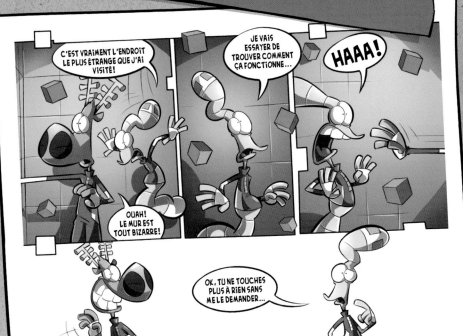

STATISTIQUES ET RECORDS :

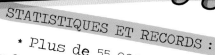

* Plus de 55 000 virus informatiques neutralisés.

* Maîtrise de 300 langages de programmation.

* Près d'un million de champignons écrapoutis aux jeux vidéo.

GÉRARD, ALIAS LE COCHON VOLANT

GÉRARD

Première apparition :

Mission 2, La formule V

Localisation :

Édifice F, Terres Jaunes

Des tours que l'on ne peut compter ni raconter

Amis d'enfance, Gérard et Théodore ont fait les 400 coups ensemble. Leur plus belle réussite ? À l'âge de 12 ans, ils créent un robot déchiqueteur de devoirs. Un exploit qui leur vaut les foudres des professeurs, mais qui, pour finir, leur mérite le premier prix en sciences.

Deuil difficile

Les deux acolytes et leur nouveau comparse, Conrad, forment au sein de l'Agence un trio explosif... jusqu'à la disparition de Théodore. Gérard ne sera alors plus jamais le même. Il occupe aujourd'hui le poste de chef d'édifice sur les Terres Jaunes, surveillant ainsi ce continent qui regorge de criminels.

Cowboy des airs

Rien ne fait plus plaisir à ce vrai casse-cou que d'accomplir un triple axel suivi d'une plongée en vrille aux commandes d'un aéronef de son invention !

PRÉPARE-TOI À VOLER COMME JAMAIS TU N'AS VOLÉ AUPARAVANT !

Véritable papa gâteau, Conrad maîtrise l'art de confectionner d'excellents biscuits qui font les délices de son fils adoré, le Petit Crémeux...

- Les agents -

CONRAD. ALIAS LE SINGE ATOMIQUE

CONRAD

Première apparition :

Mission 2, La formule V

Localisation :

Sous-sol de l'édifice K, Antarctique

Une équipe explosive

Dans ses jeunes années, Conrad fait partie de l'équipage du *Cheval d'Or*, vaisseau amiral de l'armée du Premier Continent. Il y occupe plusieurs fonctions : navigateur, officier scientifique, médecin de bord, etc. Bien des années après le départ de son capitaine, le légendaire Agent S, Conrad, contaminé par la formule V, subit une mutation irréversible qui altère ses fonctions cognitives, le contraignant à passer ses jours dans le sous-sol de l'édifice K, parmi les autres agents trop abîmés pour retourner sur le terrain.

Une famille originale

Conrad a un fils, Crémeux l'ourson. On ne sait pas exactement pourquoi son enfant est un ours et non un singe ni comment il a fait pour lui donner naissance lui-même... Et, franchement, on ne tient pas à le savoir.

DOCTEUR JULIUS

Première apparition :

Mission 3, Opération Moignons

Localisation :

Fond marin, en bordure des ruines de l'édifice C

Un requin de la psychologie

Le docteur Julius est muni d'une arme redoutable : la psychologie. Psychiatre de grand talent, sa spécialité est de réhabiliter les criminels les plus désaxés et dangereux.

Entre bonnes et nombreuses mains

Le docteur Julius vit désormais heureux avec son épouse, une pieuvre géante destructrice devenue fleuriste grâce à ses traitements...

CAS MARQUANTS

Borius Réginolf : mercenaire sanguinaire ayant perdu contact avec la réalité et premier patient de Julius. D'un âge très avancé, il a été soigné avec succès alors que plus personne ne l'espérait. Aujourd'hui, Borius est âgé de plus de cent ans et a retrouvé une vie tranquille qu'il consacre au macramé.

Frank Lapin :

psychopathe meurtrier. Auparavant incapable de ressentir des émotions, Frank avait fait de grands progrès, mais il s'est malheureusement échappé avant sa guérison complète.

Farine :

biologiste obsessionnel. Dix ans de thérapie lui auront permis de laisser ses lubies de côté et d'arrêter de jouer à Dieu. Il a malheureusement rechuté pour des raisons inconnues...

HYLDA

Première apparition :

Mission 3, Opération Moignons

Localisation :

Édifice C, océan Pacifique

Toujours plus haut!

Aqua-Ma... Hylda est la sportive du Clan des frangines. Elle excelle dans tout : arts martiaux, plein air, curling, etc. À l'âge de 22 ans, elle devient la première à gravir la falaise de Délénor jusqu'à la stratosphère, tout en retenant son souffle et en portant une enclume dans son sac à dos.

Une carrière qui fait des vagues

Peu de temps après être devenue agente, Hylda contracte sur les Terres Rouges une virulente maladie des os. Elle est sauvée de justesse, mais son squelette demeure fragile, ce qui l'oblige à arrêter ses activités sur le terrain. Mais une si bonne agente ne reste pas sans emploi très longtemps : Hylda devient chef de l'édifice C, l'homologue aquatique de Martha.

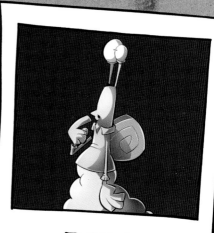

POLO

Première apparition :

Mission 3, Opération Moignons

Localisation :

Édifice C, océan Pacifique

Un informaticien pas piqué des vers

Fils de Roberta, la chef de l'édifice G, Polo est technicien informatique à l'Agence depuis ses 15 ans. Travailleur acharné, il est vite devenu l'expert en informatique de l'édifice C. Le même poste que Billy !

Gastéropodes amoureux

Billy et Polo se ressemblent beaucoup, et pas seulement physiquement. Pas étonnant qu'ils soient tombés amoureux ! Tous deux ont une intelligence remarquable et font preuve d'une loyauté indéfectible envers leurs amis et collègues. Polo semble toutefois un brin plus mature que son âme sœur...

Aqua-Billy a disparu. Je parie qu'il est dans le château avec la princesse. —Jean

FLOPPY

Première apparition :

Mission 3, Opération Moignons

Localisation :

Édifice K, Antarctique

Pirate, bandit... et mignon

Floppy (qu'il est mignon !), ancien membre d'un groupe de vilains des Terres Jaunes, piratait jadis les systèmes de surveillance du gouvernement et de l'Agence, laissant le pillage des ruines à ses comparses. La bande se fait éventuellement prendre, et l'Agence, impressionnée par les talents de (l'adorable) Floppy, le libère en échange de ses services.

Crack de l'informatique craquant

Floppy occupe désormais le poste d'expert informatique à l'édifice K, le cœur technologique de l'Agence, où il prend plaisir à travailler sur des technologies futuristes.

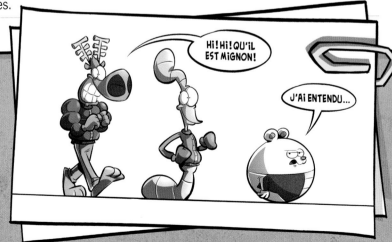

THÉODORE

Première apparition :

Mission 4, La prophétie des quatre

Localisation :

Édifice A, Premier Continent

Agent à tout faire

Avant sa carrière militaire, Théodore exerce bon nombre de métiers excitants : pompier, coureur automobile, professeur de maternelle, etc. En fait, il serait plus facile d'énumérer ce qu'il n'a pas été : astronaute... Euh, non, je vois ici qu'il l'a été, mais pour une très courte période. Quel homme ! C'est cependant l'Agence qui permet à ce grand héros d'exploiter son plein potentiel. Grâce à elle, il devient l'agent secret légendaire admiré de tous.

Inséparables ennemis

En tant qu'agent, Théodore affronte le Castor plus d'une fois. Son combat le plus mémorable : celui où ce vilain redoutable orchestre l'explosion du Soleil, ce que l'Agent S, bien entendu, réussit à empêcher *in extremis*. Longtemps cru mort à la suite d'un affrontement avec le Castor, Théodore est récemment revenu. Ce grand agent et son fils, Jean, sont de nouveau réunis.

Euh... finalement, ce n'est pas aussi simple que ça. —Jean

NOUS AVONS FAIT TOUS LES TESTS POSSIBLES. ADN, RECONNAISSANCE VOCALE, EMPREINTES DIGITALES... C'EST BIEN LUI.

ÇA VA ALLER, MADAME ?

OUI. J'AI JUSTE EU... BEAUCOUP D'ÉMOTIONS EN UNE SEULE JOURNÉE.

HA ! HA ! MON FILS, JE NE PENSAIS PLUS TE REVOIR ! L'AGENCE S'EST BIEN OCCUPÉE DE TOI ?

TRÈS BIEN ! JE SUIS DEVENU AGENT, PAPA ! COMME TOI !

WAW !

BON RETOUR, AGENT S. ALORS, VOUS NOUS RACONTEZ VOTRE HISTOIRE ?

BIEN SÛR ! OH, MAIS TU PEUX M'APPELER PAR MON VRAI NOM...

NOÉ

Première apparition :

Mission 4, La prophétie des quatre

Localisation :

Variable

Sensei de l'Agence

Noé est le spécialiste en arts martiaux de l'Agence. Il se promène d'édifice en édifice afin d'enseigner aux nouvelles recrues le style de combat millénaire du Dragon Fou.

Entretenir la légende

Noé est aussi un expert en mythes et légendes. On raconte qu'il a étudié tous les livres de la bibliothèque de l'édifice Ancestral. C'est peut-être pour cela qu'il parle toujours de façon aussi poétique et obscure...

Passe-temps favori

Se cacher dans les coins sombres et en surgir pour étaler ses connaissances mystérieuses. Cela lui permet de cultiver son air énigmatique... et d'impressionner les filles.

BULLE

Première apparition :

Mission 5, Le frigo temporel

Localisation :

Édifice A, Premier Continent

Rebelle pour un monde meilleur

Anarchiste et idéaliste, Bulle est avant tout une rebelle. Promise à un brillant avenir au sein du gouvernement (d'accord, être la fille du premier ministre ne peut pas nuire, mais bon...), elle perd cependant ses illusions sur la justice et l'intégrité de ses employeurs. Même si pour elle le travail est ce qu'il y a de plus important, elle défiera l'autorité si un ordre va à l'encontre de ses valeurs.

(Trompe, éléphant... Ah! si quelqu'un pouvait lire mes jeux de mots inventifs!)

La reine de la tromperie

Pour Bulle, c'est un rêve que de se retrouver à l'Agence, parmi des anticonformistes comme elle ! Experte en espionnage et en infiltration, Bulle dérobe diverses informations et technologies aux services secrets du gouvernement. Grande perfectionniste, elle est une championne de la ruse et du déguisement, mais ce qu'elle ne peut cependant pas cacher, c'est son béguin pour Jean. Elle est aussi plutôt nulle en insultes.

Il paraît que Bulle a demandé à Martha de lui donner des cours particuliers d'espionnage... Viserait-elle un éventuel poste de directrice?

J'AI GARDÉ MON TRAVAIL DANS LES BUREAUX DE MON PÈRE, MAIS SECRÈTEMENT J'ALIMENTAIS UN GROUPE DE REBELLES. ENSEMBLE, NOUS TRAVAILLIONS À CONTRECARRER LES PLANS SECRETS DU GOUVERNEMENT.

MALHEUREUSEMENT, JE ME SUIS FAIT PRENDRE.

EN ATTENDANT LA DÉCISION DE MON PÈRE, JE ME SUIS FAIT ENFERMER AU SOUS-SOL, PRÈS DES LABORATOIRES.

EVA N'EST PLUS SEULEMENT NOTRE INFIRMIÈRE ! ELLE OCCUPE AUSSI MAINTENANT LES POSTES DE MÉCANICIENNE, D'ARMURIÈRE ET DE BIDOUILLEUSE GÉNÉRALE.
— WXT

EVA

Première apparition :

Mission 7, L'ultime symbole absolu

Localisation :

Édifice A, Premier Continent

Androïde caractérielle

Bijou d'intelligence artificielle, EVA a été conçue par Henry dans le but de lui servir d'aide médicale (son manque d'intérêt et d'empathie rend parfois ses diagnostics un peu... surprenants). Alors que l'on sait normalement à quoi s'attendre avec un ordinateur, EVA est tout sauf prévisible. Avec son humour décapant et son esprit d'aventure, elle surprend jusqu'à son créateur ! Elle aime jouer des tours et défier l'autorité, et que dire de son caractère... En fait, elle est tellement perfectionnée qu'elle est devenue une personne à part entière.

Holographiquement vôtre

Après la destruction de son corps robotique, EVA transfère sa conscience dans un nouveau corps holographique, constitué de lumière et de champs de force.

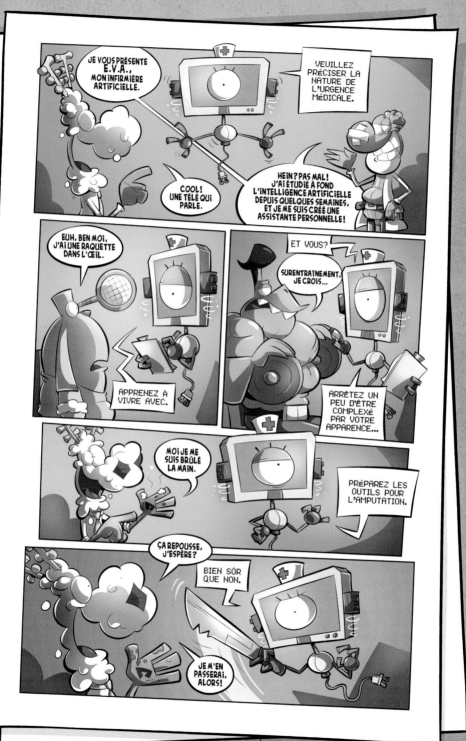

HENRY

Première apparition :

Mission 1, Le cerveau de l'apocalypse

Localisation :

Édifice A, Premier Continent

Dangereusement génial

Avec un QI exceptionnel de 402, Henry est l'être le plus intelligent de la planète. Mais sous ces airs de petit génie se cache un être craintif et, fait étonnant de la part d'un scientifique, superstitieux ! Sa passion, c'est de découvrir des mondes parallèles, occupation dangereuse, mais jamais autant que de découvrir que son cerveau est doté de sa propre conscience...

À 12 ans, Henry gagna le prix Nobel de physique.

À 14 ans, le prix Nobel de chimie.

À 16 ans, le prix Nobel de médecine.

À 18 ans, encore le prix Nobel de physique.

Et à 22 ans, le prix Nobel de celui qui a remporté le plus de prix Nobel.

À 26 ans, il découvrit une technologie capable de transformer l'eau salée en eau potable. Cette technologie fut utilisée par des terroristes afin de créer une bombe d'eau qui inonda une très grande partie de la terre.

Cet incident fit d'Henry une cible de choix pour les terroristes de tout genre. Il fut maintes fois kidnappé pour travailler sur des projets d'armes secrètes.

Tous ces évènements firent de lui un être extrêmement peureux qui préfère maintenant vivre caché du reste de la société.

VOTRE MISSION :

RETROUVER ET SECOURIR HENRY B. BELTON

SELON NOS SOURCES, IL AURAIT ÉTÉ KIDNAPPÉ ET EMMENÉ À L'USINE ABANDONNÉE DE BLA BLA BLA BLA BLADIBIDIBI DOU, BOUDOUBOUDOU BABA PROUT PROUT PROUT

FIN DU DOSSIER Nº 636
CE DOSSIER NE S'AUTODÉTRUIRA PAS,
C'EST DANGEREUX POUR LES BRÛLURES.

HENRY ET JULIEN-CHRISTOPHE

JULIEN-CHRISTOPHE

Première apparition :

Mission 1, Le cerveau de l'apocalypse

Localisation :

Édifice A, Premier Continent

Duo en duel

Si Henry est un incroyable génie, son cerveau, Julien-Christophe, est un psychopathe... Bien sûr, les pulsions démoniaques de la cervelle ont incité le timide et pacifique Henry à créer des inventions destructrices, mais sans lui, aurait-il jamais été ce surdoué que l'on connaît aujourd'hui ?

Cerveau autonome

Julien-Christophe n'a jamais été fait pour être mis dans une boîte... surtout pas crânienne ! Quand celle-ci a été ouverte par Farine, il en a profité pour s'enfuir et terroriser la planète (une occasion rare dont rêvent tous les cerveaux psychopathes). Quelle chance qu'il puisse aujourd'hui être maîtrisé grâce à des injections quotidiennes de sédatif...

Nous avons appris récemment que l'anesthésiant était en fait de l'eau sucrée et que Julien-Christophe avait mené tout le monde en bateau. Il vit maintenant pleinement sa vie de supervilain auprès du Castor. -Jean

DERNIÈRE MISE À JOUR :
DÉSORMAIS PARALYSÉ ET ÉQUIPÉ D'UN CERVEAU ARTIFICIEL INSPIRÉ DU LOBULO DE GABRIEL LOBE, HENRY EMPLOIE TOUTE SON INTELLIGENCE À AMÉLIORER L'HUMANITÉ. MALGRÉ TOUT, IL S'INQUIÈTE SOUVENT POUR JULIEN-CHRISTOPHE ET A PEUR QU'EN SE PROMENANT NU TROP LONGTEMPS, CELUI-CI ATTRAPE UN RHUME DE CERVEAU... — WXT

Cerveau prosthétique de Henry B. Belton.

LE CASTOR

LE CASTOR A PRIS LE CONTRÔLE DE L'AGENCE ! POUR CONNAÎTRE LES DÉTAILS DE SON PLAN DIABOLIQUE, VOIR LE DOSSIER NUMÉRO 138-141.
— WXT

Première apparition :

Mission 1, Le cerveau de l'apocalypse

Localisation :

Inconnue

Le pire chez ce supervilain, c'est son rictus qui pétrifie...

Une dent (ou deux) contre l'Agence

Ennemi suprême de l'Agence, le Castor prend plaisir à voir les gens souffrir et adore relever des défis impossibles : un cocktail explosif faisant de lui un être redoutable, capable d'élaborer patiemment et méticuleusement les plans les plus diaboliques. Le criminel le plus imprévisible auquel l'Agence ait jamais eu à se mesurer.

Bizarrerie génétique

Que de mystères autour du Castor ! On en sait trop peu sur cet adversaire légendaire, mais ce que l'on en connaît est troublant : il possède une force et une résistance incomparables, et une intelligence tordue jusqu'ici inégalée. Même ses gènes semblent plus évolués et plus complexes que ceux des autres êtres vivants. Ce qui les distingue ? Nos plus éminents scientifiques n'en ont aucune idée...

Quel est l'âge du Castor?

Qui se douterait qu'une aussi simple question est la source de si grands débats entre nos spécialistes ! Il met des bâtons dans les roues de l'Agence depuis si longtemps qu'il devrait avoir plus de 60 ans... Certains racontent qu'il est centenaire, ce qui est difficile à croire tant il est vif et en forme. D'autres vont jusqu'à dire qu'il est aussi ancien que l'Agence, si ce n'est pas plus ! Mais cette idée est ridicule... On est dans la vraie vie ici, pas dans une bande dessinée.

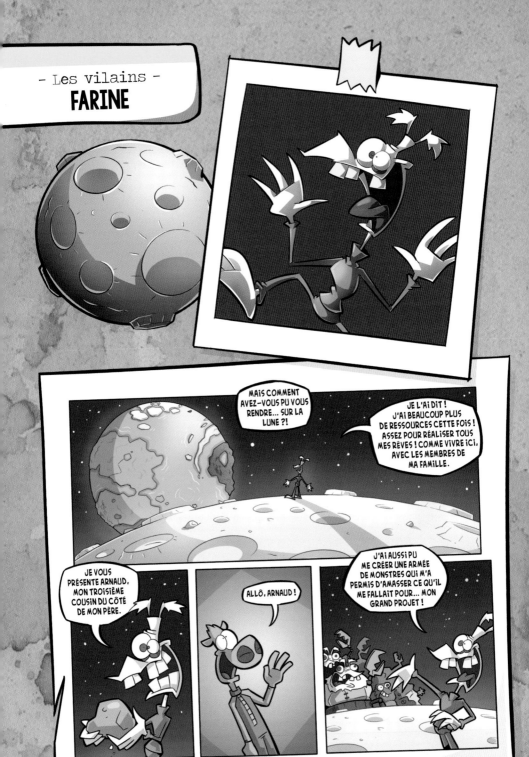

FARINE

Frankenstein moderne

Il s'agit du vilain le plus amical, mais aussi du plus instable ! Farine est un biologiste fou à lier qui vit dans l'obsession de créer l'être ultime à partir de parties du corps de personnes exceptionnelles. Maladroitement, il tente de devenir un meilleur méchant, mais il manque de talent pour être un bon mauvais !

Telle pierre, tel fils

Quand il n'est pas enfermé dans une cellule ou en cavale à travers les continents, Farine aime travailler sur la Lune. C'est là qu'il se sent chez lui, entouré de sa famille et de ses amis : en effet, Farine est un pauvre orphelin qui a grandi parmi les roches. Pas étonnant qu'il soit devenu aussi étrange !

Mais qu'est donc Farine ?!

Farine ignore qui sont ses parents biologiques, d'où il vient et même quel genre d'animal il peut bien être. Peut-être un fourmilier ? Ou alors un lapin ? Il faut bien avouer qu'il ne ressemble à rien de connu...

Ah, ah ! Moi, je sais ce qu'il est !
—Jean

Farine enfant

Boule de laine
de Mozart Lobe

GABRIEL LOBE

Première apparition :

Mission 1, Le cerveau de l'apocalypse

Localisation :

Édifice A, Premier Continent,
dans la tête de Jean

Le mouton orange de la famille

Fait peu connu, Gabriel Lobe a un jumeau à la laine orange, Mozart, tragiquement disparu à l'âge de 12 ans, quelques jours seulement après la tonte annuelle. Les deux frères sont tricotés si serrés qu'ils semblent partager un seul et même esprit. Dévasté par cette disparition, Gabriel se fabrique un chandail avec la laine de Mozart dont il ne peut se séparer encore aujourd'hui.

Berger d'une conscience unique

Gabriel Lobe devient obsédé par le désir que tous connaissent l'harmonie qui régnait entre son frère et lui. Dans le but d'unir le monde en une seule et même conscience, il conçoit l'Intra-neuronal 3000 – ou Lobulo –, invention servant à s'infiltrer dans l'esprit des gens. Une création plus que dangereuse ! Dire qu'il a presque atteint son but...

Prison neuronale

Gabriel a aujourd'hui sacrifié son corps physique pour n'être plus qu'un esprit virtuel... enfermé dans la tête de l'Agent Jean ! Avec un intellect pareil, il arrivera sûrement à en sortir...

Première apparition :

Mission 2, La formule V

Localisation :

Manoir ministériel, Premier Continent

Crapule sans scrupules

Maire de son petit village puis chef de l'armée : Tibérius gravit les échelons pour finalement devenir président du Premier Continent. Politicien corrompu et avide de pouvoir, il n'hésite pas à recourir à la violence. Et comme il s'agit de l'homme le plus puissant de la société ordinaire, c'est un vilain qu'il vaut mieux ne pas sous-estimer !

Ennemi public

Tibérius est un ennemi avoué de l'Agence, qu'il traite de danger public, mais dont il est au fond follement jaloux : c'est la seule organisation qui soit plus puissante que son gouvernement. Son pire ennemi est d'ailleurs l'Agent S, qui lui a désobéi lorsqu'il était dans l'armée. L'égo démesuré de Tibérius n'a jamais pu accepter qu'on le contredise, même quand il a tort !

Père rigide, fille rebelle

Tibérius a une fille unique, Bulle, qui s'est rebellée contre lui et qui a rejoint les rangs de l'Agence. Il a beau être furieux de la voir défier son autorité, il n'en reste pas moins qu'il l'aime...

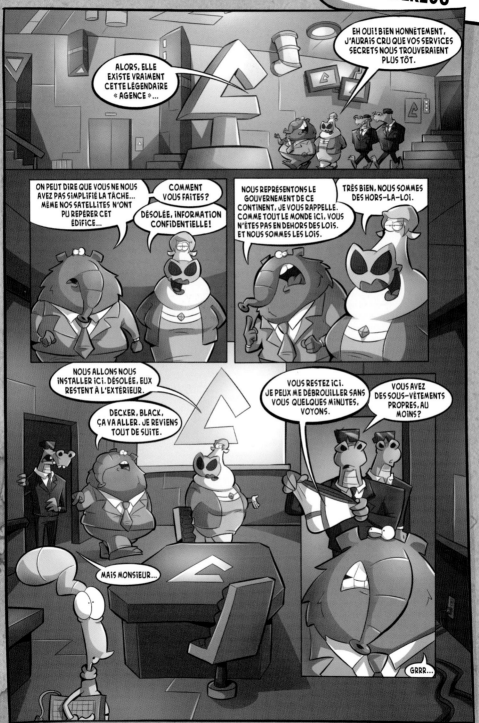

Avant l'épisode de la formule V, Crémeux n'en était pas à sa première tentative de domination du monde. Il avait déjà transformé ses toutous en féroces cyborgs grâce aux technologies développées par son père...

CRÉMEUX

Première apparition :

Mission 2, La formule V

Localisation :

Sous-sol de l'édifice K, Antarctique

Jouer avec le feu

Crémeux est un petit garçon (pas si petit que ça !) enfermé dans son monde et faisant difficilement la différence entre la réalité et la fiction. Pour lui, la planète est un grand terrain de jeu. Certains jouent à la poupée; Crémeux joue à être un grand scientifique qui détruit la terre. Mais quand on est le fils de Conrad le singe atomique et que l'on a accès à des jouets comme la formule V... on repassera pour la sécurité !

Mutant de père en fils

Après son échec lamentable avec la formule V, Crémeux subit une grave mutation qui affecte son cerveau de façon irréversible et le rend fou à lier. Il est désormais enfermé avec son père, lui aussi devenu mutant, dans le sous-sol de l'édifice K. Quelle tristesse !

CASSANDRA

Première apparition :

Mission 4, La prophétie des quatre

Localisation :

Édifice F, Terres Jaunes

Jeunes et rebelles

C'est à l'école que Cassandra, Martha et Hylda se rencontrent. Les trois adolescentes devenues inséparables ont beaucoup en commun : mépris de l'autorité, esprit de rébellion... Cassandra, cependant, sort du lot : toujours un mauvais plan, une idée qui va trop loin... Dans les corridors, on chuchote sur son passage : «As-tu entendu ? Elle a fui la maison à 13 ans, il paraît qu'elle vit seule dans la grande ville...»

Bande de filles

Une fois adultes, Martha, Hylda et Cassandra forment un groupe militant : le Clan des frangines, rapidement recruté par l'Agence. Martha gravit très rapidement les échelons, suivie de près par Hylda. Cassandra, jalouse, peine à rester dans la course, mais finit par atteindre le statut d'agente elle aussi.

Rongée par la jalousie

Peu de temps après son admission, Cassandra est approchée par l'ennemi juré de l'Agence : le Castor. Sans peine, il la convainc que ses amies l'ont toujours humiliée et qu'elle doit se venger. Elle travaille pour lui en douce jusqu'à ce qu'elle devienne chef de l'édifice Z, ironiquement grâce au soutien indéfectible de Martha, et qu'elle révèle ses vraies couleurs...

Ah oui? Elle était de quelle couleur avant? —Jean

BANDE DE VILAINS

Des années plus tard, Cassandra fonde sa **propre cellule terroriste, le Club des rebelles**, avec son fils Colère et l'octogénaire Hostilia. Ils peuvent paraître un peu ridicules comme ça, mais mieux vaut les avoir à l'œil!

COLÈRE

Première apparition :

Mission 1, Le cerveau de l'apocalypse

Localisation :

Édifice F, Terres Jaunes

Fou de Colère

Pour récompenser Cassandra de sa loyauté, le Castor lui fait un grand cadeau : un fils en tous points identique à Colère, le cheval mythique du dieu Colbert ! Enfin, presque identique... La création génétique a tout du physique mythologique souhaité, mais son côté intellectuel fait, disons-le gentiment, un peu défaut. Il n'a donc jamais pu parler, bien qu'il comprenne le langage. Malgré tout, rien ne peut changer l'amour de Cassandra pour lui, car elle le voit comme un fils divin, promis à une destinée grandiose !

Haleine de dragon

Très jeune, il mange un gros tas de piments forts, pensant que c'est des jujubes, ce qui lui permet aujourd'hui de cracher du feu...

HOSTILIA

Première apparition :

Mission 4, La prophétie des quatre

Localisation :

Laboratoire secret, Terres Rouges

Dominer le monde, une banane à la fois

Pourquoi dominer le monde ? Les choses seraient tellement plus simples ainsi... et ça passe le temps ! C'est du moins ce que se dit la vieille et blasée Hostilia, généticienne qui est même allée jusqu'à cloner une armée de bananes pour faire sa lessive et, accessoirement, envahir la Terre.

Génie génétique

Hostilia a déjà travaillé avec Néziel, le chef de l'édifice S, à stabiliser l'écosystème en équilibrant les populations d'animaux sauvages. Mais elle ne se servait pas de la génétique tout à fait pour le bien... Elle s'amusait plutôt à créer des clones hyper puissants et agressifs. Elle ne pouvait pas résister : elle adore les monstres et les mutants difformes. C'est à ce moment qu'elle rencontre Cassandra, avec qui elle fonde plus tard le Club des rebelles.

DERNIÈRE MISE À JOUR :

C'est l'expertise en génétique expérimentale d'Hostilia qui a permis au Castor de créer le clone parfait, issu de l'ADN de l'Agent S. — Bulle

BANANES SANGUINAIRES

Première apparition :

Mission 4, La prophétie des quatre

Localisation :

Terres Rouges

Barbarie et bananeries

Les Bananes Sanguinaires forment aujourd'hui une meute sauvage particulièrement agressive et riche en potassium. On craint qu'elles ne laissent traîner leurs pelures un peu partout. Ce serait vachement dangereux.

Alain la Banane

Hostilia n'a pas choisi l'ADN de n'importe qui pour créer son armée, elle a opté pour le fruit le plus inhumain qui soit : Alain la Banane, la mythique créature des Terres Rouges. Pour le décrire, les mots terrifiants qui commencent par B ne manquent pas : barbare, bestial, brute, brigand, batailleur, balourd et... banane blette.

DERNIÈRE MISE À JOUR :
L'ULTRA-JEAN A BIEN CHANGÉ DEPUIS
QU'HENRY ET JULIEN-CHRISTOPHE L'ONT
ENFERMÉ DANS LA DIMENSION MAUVE.
COMME LE TEMPS S'Y ÉCOULE BEAUCOUP
PLUS VITE, IL A MAINTENANT LA
SAGESSE DES MILLÉNAIRES... — WXT

ULTRA-JEAN

Première apparition :

Mission 1, Le cerveau de l'apocalypse

Localisation :

Dimension mauve

Clone d'un autre univers

Lorsque Jean a touché le cube de Phobos, son ADN a été enregistré dans

la mémoire de ce concentré de matière mauve, créant ainsi l'Ultra-Jean,

une version démoniaque et super puissante de l'Agent Jean. L'Ultra-Jean est

convaincu de sa supériorité sur les êtres vivants.

Ultra puissant

TROP COOL !

Capable de voler et de tirer des lasers avec ses yeux, l'Ultra-Jean possède une

force physique mille fois supérieure à celle de l'Agent Jean. Et comme si ce

n'était pas suffisant, il est immortel, parle toutes les langues de l'univers et peut

même passer au travers de la matière !

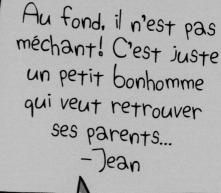

Au fond, il n'est pas méchant! C'est juste un petit bonhomme qui veut retrouver ses parents...
—Jean

ENTITÉ JAUNE

Première apparition :

Mission 5, Le frigo temporel

Localisation :

Édifice A, laboratoire d'Henry

Enfant de lumière

Constituée de lumière liquide pure, l'Entité Jaune est un enfant issu d'une dimension parallèle qui cherche à retourner vers son monde.

Lorsqu'une conscience est associée à de la lumière jaune, ses émotions et sa volonté contrôlent l'espace-temps aux alentours. C'est pourquoi le temps se fige autour de l'Entité Jaune lorsqu'elle est apeurée.

JEAN DE L'AN HUIT MILLIONS

Première apparition :

Mission 5, Le frigo temporel

Localisation :

Ici et là, au travers de l'espace-temps

Sur les routes du temps

Dans huit millions d'années (c'est approximatif), tous les êtres vivants pourront, grâce à l'énergie mauve, un dérivé pur de la matière mauve, se déplacer sur la ligne du temps comme sur une route. Cependant, ces créatures nouvelles auront tant voyagé que leur propre époque aura été perdue, abandonnée au néant. Il en résultera un grand nombre de voyageurs pris dans le temps, n'appartenant à aucune ère, qu'on appellera les Paradoxaux. Étonnamment, Jean en fait partie. Il a apparemment survécu jusque-là...

Wow! Je suis vieux!
Mais j'y pense... Comment
tu sais ça, Moignons?
—Jean

BÉHÉPAS

Première apparition :

Mission 2, La formule V

Localisation :

Terres Jaunes

Anciens et mystérieux

La civilisation pacifique des Béhépas, éteinte de nos jours, est vieille de 12 000 ans. Les Béhépas auraient développé une technologie très avancée, mais dont on ne comprend à peu près rien... car presque plus personne ne peut déchiffrer leur langage ! Ils sont en fait — et cette information est TOP SECRÈTE — de véritables extraterrestres de Vénus qui vénèrent la déesse de la lumière, Luceta.

Savoir vivant

Ce peuple ancien a érigé de nombreuses constructions mystérieuses, dont la haute tour qui recèle l'équation de cette force primordiale appelée... la vie. C'est grâce à elle que Conrad crée la formule V. Grâce à elle encore que les Gardiens de la vie, Octavias, Onizine, Ovidor et Marc-André, revivent et viennent en aide à l'Agent Jean.

HOLUS

NÉOMARTIENS

Première apparition :

Mission 4, La prophétie des quatre

Localisation :

Terres Rouges

Gentils affreux

Ce peuple en apparence brutal est en réalité un des plus civilisés des Terres Rouges : ils refusent de tuer ou de torturer les autres créatures. Tellement qu'ils sont même devenus végétariens !

Rituels rythmés

Leur devise est *Daucus Carota*, qu'ils scandent en chœur lors de leurs cérémonies sacrées. Qu'est-ce que ça veut dire ? Eux-mêmes ne le savent pas tout à fait... Mais ça sonne vraiment cool, non ?

Divinité mutante

Leur dieu Holus est en fait un Néomartien ordinaire devenu mutant après s'être fait piquer par un taon radioactif (ça arrive plus souvent qu'on pense !). Même s'il est très impressionnant de par sa force et sa taille, si on flatte Holus dans le sens de la pelure, il est plutôt sympathique.

SECTE DES SPECTRES

En voilà un qui s'entendrait bien avec Billy! Il semble aimer la Sloche lui aussi! —Jean

SECTE DES SPECTRES

Première apparition :

Mission 4, La prophétie des quatre

Localisation :

Terres Rouges

Incantations démoniaques

Culte des Terres Rouges au nom imprononçable, la secte des screptes... la sectre des psectres... non, c'est pas ça... Les raisins sectes! Voyons! Cette affaire-là (!) a pour mission de garder et de protéger le livre de *La prophétie des quatre,* censé ressusciter le terrible démon Kastaro. Grâce à lui, les membres de la secte croient qu'ils pourront enfin dominer le monde (une activité populaire ces temps-ci !).

Pas facile à passer

Le grand Rès-Wob, dernier dinosaure vivant, protège les membres de la secte. En échange, ceux-ci lui cultivent des fleurs qui font cracher du feu et des champignons qui font grandir.

AZULS

AZULS

Première apparition :

Mission 4, La prophétie des quatre

Localisation :

Premier Continent

Une préhistoire de fous

Cette peuplade primitive se compose d'éléphants cornus à qui rien ne fait plus plaisir que de se vautrer dans la boue. Un rien suffit à les émerveiller : ce qui leur est inconnu est pour eux l'œuvre d'un dieu ou d'un démon... Il faut leur laisser une chance, ils ont vécu il y a 200 000 ans. À cette époque, Internet n'existait pas et les éléphants n'étaient pas très éduqués.

La grande illusion

Pour laisser des traces de leur «grandeur», les Azuls construisent de majestueuses cités, des forteresses imprenables et des pyramides mystérieuses... déjà en ruines. Bah ! Comme ça, ils seront admirés pour leur intelligence architecturale dans le futur, sans avoir besoin des connaissances que cela demande dans le présent... Même si, en réalité, ils n'ont pas besoin d'autre chose que de leurs huttes de boue pour être heureux.

Quoi faire à l'âge de pierre?

Leurs passe-temps favoris : faire du feu, inventer la roue, mourir à vingt-huit ans, guerroyer contre leurs voisins les Amarillos, mais surtout, surtout... se baigner tout nu.

OH, CRÉATURE DES CIEUX, MONTRE-MOI COMMENT VOLER!

JE TE SALUE, DIVINITÉ NUAGE!

JE SUIS À TON SERVICE, DÉITÉ TRONC D'ARBRE!

SUPER!

HAAA!!!

ALLONS, ALLONS, JEAN N'EST PAS UN DIEU, IL VIENT DU FUTUR, COMME MOI!

DU FUTUR?! OH! EST-CE QUE VOUS AVEZ TROUVÉ LES RUINES DE NOS CITÉS ANCIENNES, FINALEMENT?

CE SONT VOS CITÉS? PAS TRÈS IMPRESSIONNANT...

OUAIS, EN FAIT, ON CONSTRUIT DES RUINES QUI SEMBLENT AVOIR ÉTÉ DE TRÈS TRÈS GRANDES CITÉS, COMME ÇA, LES GENS DU FUTUR VONT SE DEMANDER COMMENT ON A PU FAIRE TOUT ÇA MALGRÉ NOS OUTILS PRIMITIFS!

EUH... OUAIS!

TROP FORT!

ALORS, ÇA A MARCHÉ?

FLUIDIMORPHES-CRYOPLASMIQUES

Première apparition :

Mission 5, Le frigo temporel

Localisation :

Variable, principalement en Antarctique

ARCHIMÈDE PLASMA

Transformations radicales

Les Fluidimorphes-Cryoplasmiques possèdent les mêmes propriétés physiques que l'eau : à température ambiante, ils sont liquides et se promènent en petites flaques, tandis qu'ils planent en nuages dans des chaleurs extrêmes. On les comprend donc de préférer les climats glacials, où ils deviennent solides et bougent normalement.

En voie de disparition

Curieux et pacifiques, les Fluidimorphes-Cryoplasmiques recherchent l'aventure : un trait de caractère qui fait d'eux d'excellents agents. Malheureusement, il n'en existe plus que quelques représentants... Afin de les protéger, l'Agence les étudie et compte plusieurs d'entre eux parmi ses rangs, dont Archimède Plasma, le chef de l'édifice K.

EUH... VOUS TROUVEZ ÇA NORMAL, UN CUBE DE GLACE QUI SAUTILLE POUR AVANCER ? — WXT

MATIÈRE MAUVE

Première apparition :

Mission 1, Le cerveau de l'apocalypse

Matière à réflexion

Substance aux propriétés mystérieuses considérée comme l'élément contraire de la lumière liquide, la matière mauve semble n'avoir que des propriétés destructrices. La légende veut qu'un être exceptionnel en aurait ramené à la suite d'un voyage dans une dimension parallèle il y a des milliers d'années. Cependant, on a découvert que le cube mauve de l'Agence, en plus de fournir toute l'énergie nécessaire à l'édifice A, peut aussi emmagasiner des données. Tout contact direct serait gardé en mémoire, le cube pouvant créer des clones de ceux qui l'ont touché ! C'est d'ailleurs ainsi qu'est né l'Ultra-Jean.

Jean n'a pas explosé quand il a touché le cube de matière mauve... POURQUOI ?

DIMENSION MAUVE

La matière mauve, lorsqu'elle est suffisamment concentrée, permet d'accéder à un univers parallèle appelé dimension mauve. On raconte qu'elle serait peuplée de créatures mutantes, surpuissantes... et généralement mauves.

Il n'y a aucune explication logique ! Seul un être supérieur pourrait y répondre... – Bulle

CHEVAL D'OR

Première apparition :

Mission 2, La formule V

Localisation :

Ses débris sont éparpillés
sur les Terres Jaunes

Équipage de rêve

Aéronef de haute technologie conçu par l'armée, le *Cheval d'Or* était la perle
de la flotte du Premier Continent. Conrad le singe atomique, Gérard le cochon
volant et le capitaine Théodore Bon ont formé son premier et unique escadron.
Quel équipage !

Trésor retrouvé

Environ dix ans avant la naissance de Jean, Tibérius mandate l'équipage du
Cheval d'Or de bombarder une base ennemie. Pour éviter le carnage, Théodore
et ses équipiers se rebellent et disparaissent avec l'avion d'assaut, qui est alors
abandonné à la rouille… jusqu'à ce que Crémeux le vole, puis le détruise dans
sa tentative de contaminer la Terre avec la formule V.

Le *Cheval d'Or* était équipé
à la fine pointe de la
technologie : lance-flamme,
radar ultrasonique,
machine à crème glacée,
rien ne manquait!

DES RÔTIES PARFAITEMENT
DORÉES, C'EST VRAI QUE
C'EST DUR À FAIRE !
— WXT

Première apparition :

Mission 2, La formule V

Localisation :

Édifice A, Premier Continent

GRILLE-PAIN DES DIEUX ET FRIGO TEMPOREL

Grille-pain doré adoré

À l'origine, les Béhépas créent le grille-pain des dieux avec l'intention d'obtenir des rôties parfaitement dorées. Cependant, leurs ingénieurs se trompent d'une décimale dans leurs calculs et réalisent que leur invention permet plutôt de voyager dans le temps. Gadget peu apprécié au départ, le grille-pain des dieux est longtemps oublié... Jusqu'à ce que la guerre éclate entre les Martiens et les Vénusiens, et que la chute de ces civilisations force les deux clans à s'établir sur la Terre. Les rescapés vénusiens, privés du meilleur de leur technologie, se rabattent alors sur les lambeaux de leur société : quelques artéfacts, dont le grille-pain des dieux, maintenant protégés par les Gardiens de la vie.

Cuisine du futur

Henry a développé le frigo temporel par rétro-ingénierie, c'est-à-dire en étudiant le fonctionnement du grille-pain des dieux, puis en le reproduisant à plus grande échelle. Il a détourné l'utilisation du carburant, la lumière liquide, afin qu'une seule goutte permette de revenir plusieurs milliers d'années dans le passé. La lumière liquide est une des substances les plus rares de l'univers, il faut savoir l'économiser !

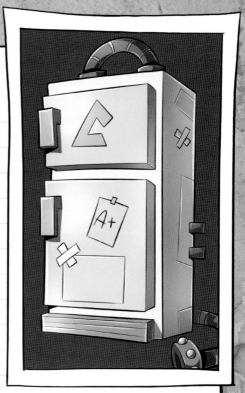

Aucune inquiétude à avoir :

Les agents qui empruntent le frigo temporel ont toujours droit à un voyage bien désodorisé grâce aux bons soins d'Henry qui voit à changer régulièrement la boîte de bicarbonate de soude...

Comme le frigo temporel est un appareil expérimental, on ne comprend pas encore parfaitement comment il fonctionne ni pourquoi... Et c'est toujours étrange d'y voir apparaître un restant de rôti de ptérodactyle. —Jean

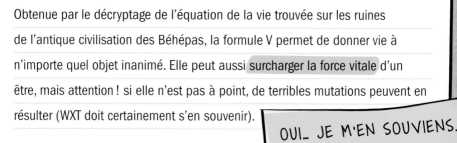

FORMULE V

Première apparition :

Mission 2, La formule V

Formule à reformuler

Obtenue par le décryptage de l'équation de la vie trouvée sur les ruines de l'antique civilisation des Béhépas, la formule V permet de donner vie à n'importe quel objet inanimé. Elle peut aussi surcharger la force vitale d'un être, mais attention ! si elle n'est pas à point, de terribles mutations peuvent en résulter (WXT doit certainement s'en souvenir).

OUI... JE M'EN SOUVIENS. — WXT

Légende vénusienne

C'est sur Vénus, leur planète d'origine, que les Béhépas auraient reçu l'énigmatique équation de la vie de la part de Luceta, leur grande déesse. Son but ? Offrir à son peuple le pouvoir vital des dieux afin qu'ils deviennent aussi des êtres divins... Évidemment, ça n'a pas vraiment fonctionné.

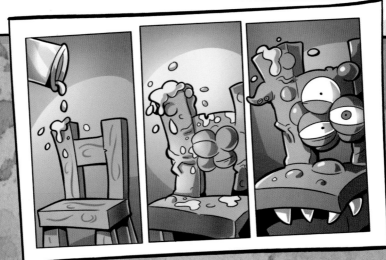

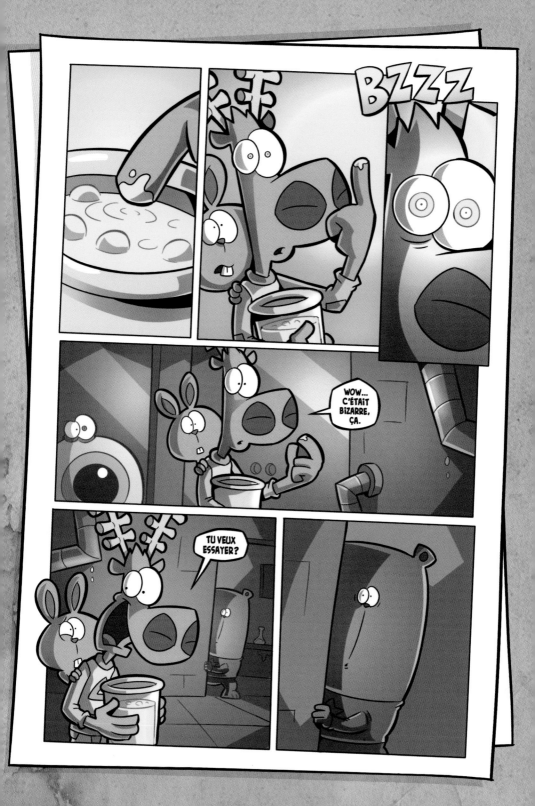

Antenne aux rayons gamma permettant de pénétrer l'esprit de tout être vivant sur la planète.

Processeur CPU 62094XW3, le plus rapide jamais conçu.

LOBULO

Mission 5, Le frigo temporel

Localisation :

Édifice K, Antarctique

Une idée en tête

C'est Gabriel Lobe qui développe le Lobulo pour en faire un cerveau géant fonctionnel et ultra intelligent; sa création suprême, censée révolutionner l'informatique pour toujours ! Cependant, Lobe a secrètement l'intention de s'en servir pour pirater tous les esprits de la Terre et imposer à tous son unique conscience. Belle façon de devenir le maître du monde...

Organe de secours

Après la déconfiture de Gabriel Lobe, Henry copie les composantes de l'ordinateur original afin de créer un nouveau cerveau artificiel : le Lobulo 2.0.

LOBULO 2.0.

Le Lobulo 2.0 n'a même pas de prise USB 3.0 ! –Jean

- Les objets -
LUMIÈRE LIQUIDE

C'est ce qui alimente le grille-pain des dieux et le frigo temporel !
– Bulle

LUMIÈRE LIQUIDE

Première apparition :

Mission 5, Le frigo temporel

Puissance éblouissante

Venue d'une dimension parallèle, la lumière liquide est un concentré de photons sous forme plasmique. Cette substance aux pouvoirs énergétiques impressionnants semble être l'exact contraire de la matière mauve. La puissance d'une seule goutte de lumière liquide équivaut à celle de six soleils comme le nôtre ! Elle permet aussi d'atteindre des vitesses supraluminiques (au diable la vitesse de la lumière !) et d'altérer l'espace-temps.

Top secret

La lumière liquide est l'ingrédient manquant à la formule V de Conrad, c'est l'élément clé qui permettrait d'en faire un véritable élixir de la vie !

RÉSERVOIR DE GRAVITONS

Gravitons = particules élémentaires théoriques. Existence pas encore prouvée par l'expérience. Expliquerait la force de la gravité au niveau microscopique !

Première apparition :

Mission 7, L'ultime symbole absolu

Localisation :

Sous les ruines de l'édifice T, au beau milieu de l'océan

Énergie écologique

Ce réservoir est une machine complexe munie d'une turbine alimentée par la puissance gravitationnelle de particules artificielles : les gravitons. Ceux-ci sont programmés pour créer des variations dans la gravité, ce qui permet le mouvement du réservoir sphérique. Résultat : une source d'énergie propre, infinie et d'une puissance inégalée ! Tant pis pour les barrages hydroélectriques !

Terre A

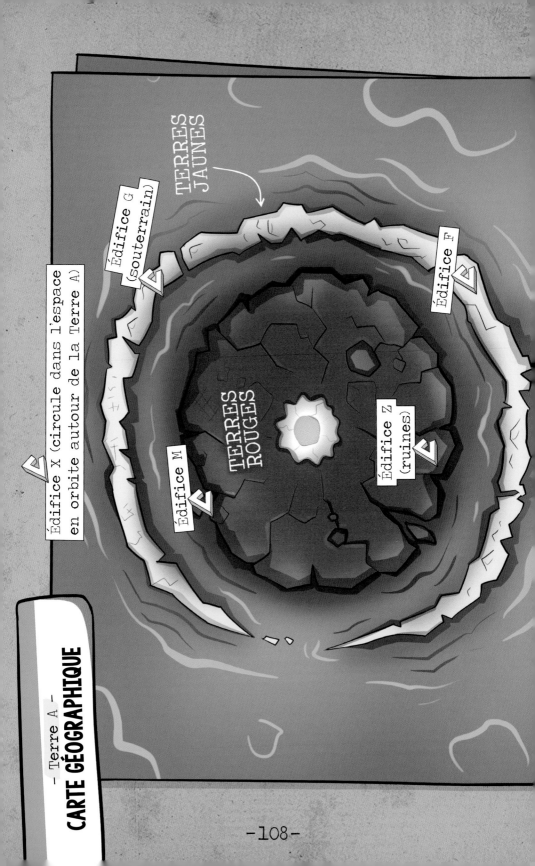

- Terre A -
CARTE GÉOGRAPHIQUE

TERRES JAUNES

Édifice G (souterrain)

Édifice X (circule dans l'espace en orbite autour de la Terre A)

Édifice M

TERRES ROUGES

Édifice Z (ruines)

Édifice F

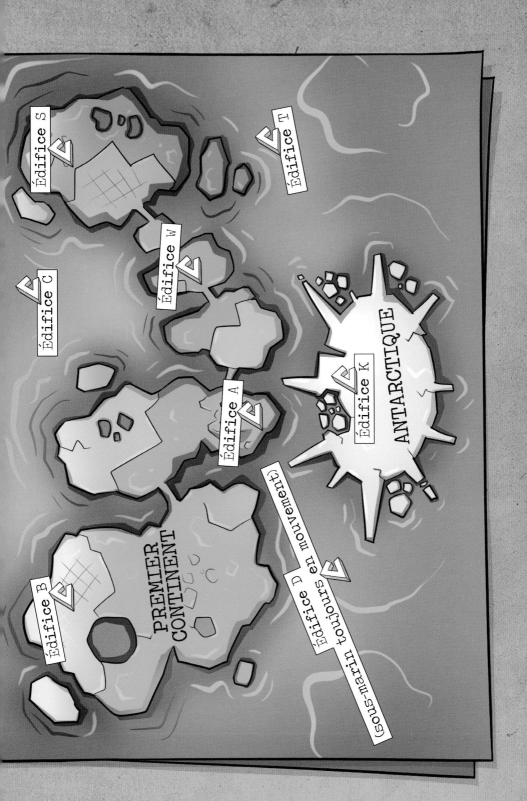

TERRITOIRES

LE PREMIER CONTINENT

C'est là qu'on retrouve la majorité de la population de la Terre A. De par sa grande superficie, le Premier Continent abrite aussi l'écosystème le plus varié de la planète. L'entièreté de cette région est sous la gouverne du président Tibérius, dans un système démocratique, mais corrompu par l'argent et le crime organisé.

LES TERRES ROUGES

Continent volcanique et peu hospitalier, les Terres Rouges hébergent peu d'espèces animales, et l'instabilité chimique du sol empêche presque toute plante d'y pousser. Cette contrée est déchirée entre une trentaine de minuscules gouvernements qui, malgré leurs importantes armées, ont peu d'autorité sur la population. Vous êtes vilain et cherchez un repaire à l'abri des lois ? Les Terres Rouges sont pour vous !

LES TERRES JAUNES

Le sol des Terres Jaunes est très riche en gisements de cristaux et de pierres précieuses. Ces terres recèlent également de nombreux temples béhépas en ruines; un véritable trésor à grande échelle. Comme aucune civilisation ne s'y est installée, les seuls gouvernements qu'on y retrouve sont ceux de peuplades aborigènes peu développées.

L'ANTARCTIQUE

De la glace et encore de la glace, à perte de vue... Seuls quelques morses et ours polaires habitent ce continent glacial. Cependant, à des kilomètres sous cet immense glacier sont enfouis des trésors archéologiques qui racontent l'histoire secrète de la Terre A... et ils n'ont encore jamais été découverts.

LA DIMENSION MONOLITHIQUE

Cette dimension étrange apparaît à Bulle et à Jean quand la présence de l'Entité, un «être» de lumière liquide pure, affecte la ligne temporelle de l'univers, ce qui déconstruit ainsi le cours des choses; les événements et les personnages passés, présents et futurs s'attirent les uns les autres avant de fusionner en un chaos généralisé où tout se passe en même temps.

ÉDIFICES MAJEURS

LES ÉDIFICES MAJEURS DE L'AGENCE sont à la fine pointe des technologies les plus sophistiquées. Dans l'éventualité d'un conflit armé important, ces édifices et leur personnel seraient en première ligne d'attaque.

Édifice A

CONTEXTE : Situé sur la côte sud du Premier Continent, l'édifice A est le premier édifice de l'Agence jamais construit. Il est aussi équipé des technologies les plus avancées, ce qui lui confère une importance symbolique et un certain prestige au sein de l'Agence. **DIRIGÉ PAR :** Martha. (Voir dossier numéro 22-25).

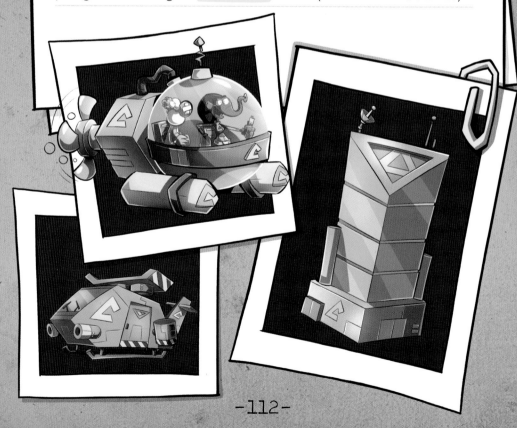

Le laboratoire
d'Henry.

Le bureau
de Martha.

Jean dans sa chambre
de l'édifice A.

L'infirmerie.

ARTHUR

Édifice B

CONTEXTE : Également construit sur le Premier Continent, il est plus au nord que l'édifice A. **DIRIGÉ PAR :** Arthur, le doyen de l'Agence. Celui-ci entame sa carrière dans les rangs de l'armée du Premier Continent, où il monte rapidement en grade avant de se présenter aux élections nationales contre Tibérius. Défait en raison d'une campagne de salissage, Arthur décide d'approcher l'Agence, un groupe d'espions hors-la-loi qu'il a découvert lors d'une précédente mission pour l'armée. Il se recycle en agent de terrain avant de devenir chef d'édifice.

Édifice C

CONTEXTE : Cette station flottante au large du Premier Continent abrite un grand nombre d'agents spéciaux aquatiques. Elle est construite au-dessus des ruines submergées du précédent édifice, qui a sombré il y a quelques années après l'attaque d'une pieuvre gigantesque; presque tous les agents qui s'y trouvaient

ont alors disparu. **DIRIGÉ PAR :** Hylda. (Voir dossier numéro 38-39.)

Disparu... Tout comme mes précieuses mains!

Édifice F

CONTEXTE : Au cœur des Terres Jaunes se trouve cette ancienne base militaire transformée en édifice de l'Agence. Surtout souterrain, l'édifice F se spécialise en technologie d'observation. **DIRIGÉ PAR :** Gérard. (Voir dossier numéro 34.)

Spécimen typique (hostile!) de Vilain Pingouin peuplant les territoires environnant l'édifice K.

Édifice K

Édifice K

CONTEXTE : Basé en plein milieu de l'Antarctique, cet édifice comporte une aile spéciale pour héberger et soigner les agents dont la santé mentale a été, disons... perturbée lors de leurs missions. C'est aussi un centre de recherche informatique très avancée où l'on retrouve le Lobulo, l'ordinateur le plus puissant du monde, qui est contrôlé par le célèbre pirate informatique Floppy.

DIRIGÉ PAR : Archimède Plasma. Il est un Fluidimorphe-Cryoplasmique, c'est-à-dire un être composé d'un liquide bleu aux propriétés semblables à l'eau qui fond à la chaleur. (Voir dossier numéro 92-93.)

En gros, un cube de glace avec des yeux.

Édifice Z

CONTEXTE : Détruit il y a un peu plus de vingt ans, l'édifice Z avait été érigé sur les Terres Rouges en dépit d'une malédiction censée empêcher l'Agence de s'y établir. S'il avait survécu plus d'une journée, cet édifice aurait constitué le plus grand centre correctionnel de l'Agence. Son mandat : réhabiliter (ou plutôt neutraliser) les plus grands criminels de la planète. **DIRIGÉ PAR :** Cassandra. La seule et unique chef du bâtiment a malheureusement trahi ses collègues et condamné son propre édifice... (Voir dossier numéro 70-71.)

ÉDIFICES MINEURS

LES ÉDIFICES MINEURS, bien que moins armés et moins technologiques que les édifices majeurs, sont essentiels à l'Agence. Leurs positions stratégiques permettent à l'organisation de surveiller chaque recoin de la planète.

Édifice Ancestral

CONTEXTE : Considéré comme un édifice mineur car il n'a pas un rôle tactique — en plus d'être situé dans un univers parallèle —, l'édifice Ancestral sert plutôt de musée et de centre d'archives pour l'Agence. **DIRIGÉ PAR :** Personne.

Édifice D

CONTEXTE : Gigantesque sous-marin tactique, l'édifice D patrouille l'océan Antarctique, où beaucoup de supervilains s'exilent pour réfléchir à leurs plans démoniaques. **DIRIGÉ PAR :** Perle. Archéologue experte et linguiste exceptionnelle, elle se passionne pour l'étude des anciennes civilisations enfouies sous les glaciers.

Édifice G

CONTEXTE : Cet édifice est établi dans une ancienne mine de cristaux abandonnée des Terres Jaunes pour avoir à l'œil les activités suspectes qui mijotent dans le sous-sol du continent. **DIRIGÉ PAR :** Roberta. Ancienne haute gradée de l'armée du Premier Continent (tout comme Théodore, Conrad et Gérard), elle est aussi la mère de Polo, le fiancé de Billy.

Édifice M

CONTEXTE : La terrible malédiction qui empêche l'Agence de s'installer sur les Terres Rouges a forcé l'installation de cet édifice sur une île volcanique au large du continent : il faut absolument surveiller ce nid de vipères... mais de loin !

DIRIGÉ PAR : Myrna. Elle était jusqu'à tout récemment une vieille dame de 93 ans rongée par une terrible maladie, mais sa conscience a été transférée dans un nouveau corps par le médecin de l'édifice, Octave, qui refusait de la voir mourir...

Édifice S

CONTEXTE : Cet édifice se cache aux confins d'une forêt tropicale à l'est du Premier Continent et se spécialise en recherches environnementales pour protéger l'écosystème. Ses scientifiques ont d'ailleurs mis au point des filtres géants qui éliminent le gaz carbonique, et la bâtisse sert désormais de purificateur d'air mondial. **DIRIGÉ PAR :** Néziel, biochimiste et météorologue expérimental.

PERLE   ROBERTA   MYRNA   NÉZIEL

— Terre A —
ÉDIFICES MINEURS

THÉRESA

UBALDA

Édifice T

CONTEXTE : Cette récente construction est située en plein cœur de l'océan. On y étudie diverses technologies de pointe, dont le tout premier réservoir à gravitons jamais construit. **DIRIGÉ PAR :** Théresa. Elle est la dernière admise au Conseil des douze, la plus jeune agente à atteindre ce grade.

Édifice W

CONTEXTE : C'est là, quelque part perdu dans les étendues marécageuses à l'est du Premier Continent, que l'Agence développe ses soins médicaux de pointe. **DIRIGÉ PAR :** Ubalda. Elle est de l'espèce des Mucosiphiles, des êtres flasques et verdâtres ayant la capacité de se régénérer par eux-mêmes.

Édifice X

CONTEXTE : Niché sur une station spatiale en orbite autour de la Terre et d'où l'Agence peut surveiller les menaces extraterrestres, l'édifice entier est opéré par son seul chef. Pour accomplir cet exploit, cet étrange personnage connecte son esprit directement au système informatique de l'édifice. Ce génie possèderait un intellect de niveau 13. Ce que ça veut dire ? On ne le sait pas exactement, on comprend seulement qu'il est très brillant... Lui doit savoir ce que ça veut dire !

DIRIGÉ PAR : ????

Mais c'est qui ce gars-là!? Personne n'en parle jamais!
—Jean

BIEN LE BONJOUR !

ÇA FAIT LONGTEMPS QU'ON S'EST VUS... QU'ÊTES-VOUS ALLÉS FAIRE DANS CES CAVERNES, DITES-MOI ?

ALLEZ VERS L'AÉRONEF. JE M'OCCUPE DE LUI.

MAIS, BULLE... TU NE POURRAS JAMAIS...

ALLEZ !

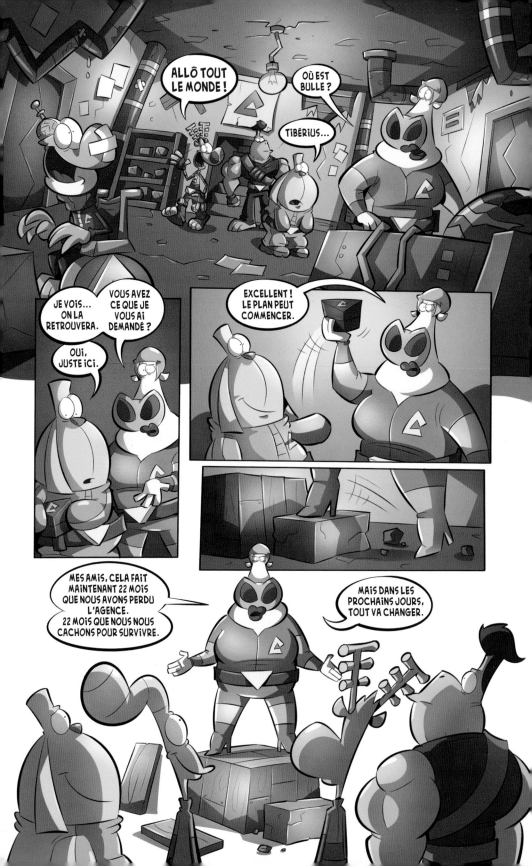

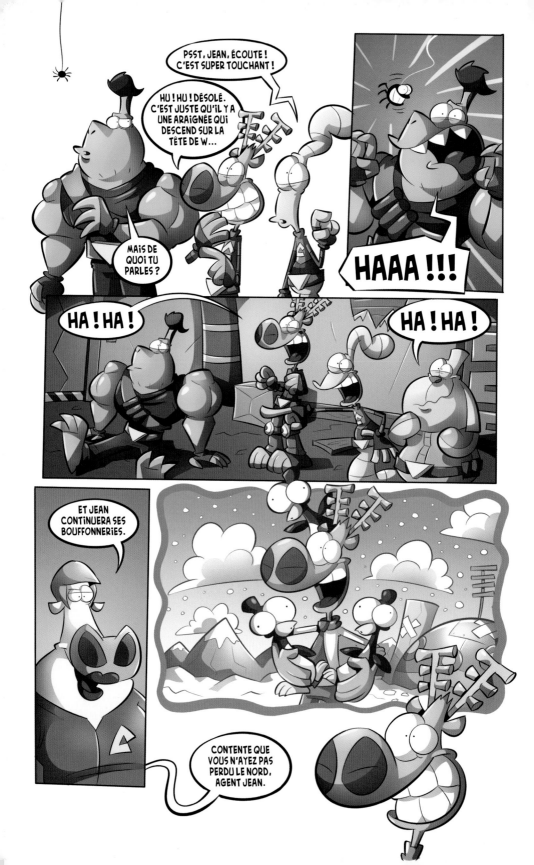

L'AGENT JEAN ET SES AMIS SONT DE RETOUR !

alexbd.com/planomega.html

Martha m'a dit que ton prénom, c'est Emmanuel... Ça sonne drôle!

MONSIEUR MOIGNONS

Première apparition :

Mission 1, Le cerveau de l'apocalypse

Localisation :

Édifice A, Premier Continent

ENCYCLOPÉDIE SUR DEUX PATTES!

Moignons, c'est notre professeur à l'Agence. Et pas seulement ça : il s'occupe aussi des communications et des archives. Il sait tout, tout, tout sur les agents et les criminels. La preuve : ces dossiers secrets!

PERDRE LES MAINS SANS PERDRE LA MAIN

Il a déjà été agent de terrain comme nous... jusqu'à ce qu'un monstre de Farine lui coupe les mains. Mais ça n'a pas l'air de le gêner beaucoup! Il peut toujours écrire, dessiner, beurrer ses tartines et opérer les commandes d'un hélicoptère! Comment il fait!?

ÇA, C'EST CE QUE J'AIMERAIS BIEN SAVOIR!
— WXT

ANNEXE

PLAN DU CASTOR

par Jean, WXT, Bulle et Moignons!

PLAN DU CASTOR

UN VÉRITABLE COUP DE THÉÂTRE NOUS A DÉCULOTTÉS : le Castor manipulait les personnages et les événements pour arriver à ses fins depuis le tout début ! Son objectif ? Prendre le contrôle absolu de l'Agence. Pour y arriver, le Castor a élaboré un plan incroyablement complexe et machiavélique qu'on a pu comprendre en partie quand il a dévoilé à Jean les détails de son incroyable machination... Mais a-t-on vraiment élucidé tout le mystère ? Les deux années passées dans le bunker nous ont permis de comprendre certaines zones d'ombre.

- **UNE ALLIANCE DE LONGUE HALEINE AVEC JULIEN-CHRISTOPHE, COMMENT EST-CE POSSIBLE ?** Henry ne l'a jamais su, mais il vit depuis toujours une double vie : scientifique honnête le jour et supercriminel la nuit. Ce qui explique pourquoi des groupes terroristes se sont intéressés à lui et l'ont souvent kidnappé. Éventuellement, le Castor remarque ces contradictions et comprend que le cerveau d'Henry B. Belton a une volonté propre, active pendant le sommeil de son hôte. Un soir où Henry dort paisiblement, le Castor rencontre Julien-Christophe et lui explique son plan diabolique, plan qui séduit bien sûr le malsain cerveau… et une nouvelle alliance voit le jour.

- **POURQUOI LE CASTOR A-T-IL MANIPULÉ LE PETIT CRÉMEUX AFIN QU'IL CRÉE UNE ARMÉE DE MUTANTS ?** Le Castor s'intéresse de près à Gérard et Conrad, deux anciens agents, bien avant que Jean les rencontre. Il les met même sous étroite surveillance dans la base militaire désaffectée où ils habitent, et c'est ainsi qu'il découvre les avancées de Conrad sur la formule V… Plus inquiétant encore, il comprend qu'il peut s'en servir pour l'exécution de son fameux plan. C'est ni plus ni moins la pièce manquante qui lui permet de créer le clone parfait issu de son ADN et de celui de l'Agent S : Jean Bon. Une fois Jean devenu agent, le Castor doit lui créer de faux ennemis à vaincre pour gagner la confiance de l'Agence (et surtout celle de Martha). Il se tourne donc vers le fils de Conrad, le petit Crémeux, et le convainc de voler et répandre la formule V. Le pauvre Crémeux, qui veut simplement rendre son père fier de lui, ne sait pas que le Castor a tout prévu : de son arrestation par l'Agent Jean jusqu'à son emprisonnement sous l'édifice K.

- **FARINE, UN ENNEMI DE TAILLE… TAILLÉ SUR MESURE ?** Le Castor crée Farine, puis le suit à son insu toute sa vie, jusqu'à l'âge adulte, où il l'approche finalement pour s'en faire un allié machiavélique. Farine a un bon potentiel de supervilain… mais il n'a pas toujours les ressources nécessaires à ses plans tordus ! Ainsi, le Castor est toujours derrière ses magouilles : il lui fournit une cachette pour kidnapper Henry B. Belton, de l'équipement de pointe pour couper des membres aux agents, il le sauve même après son échec retentissant sur la Lune grâce à la thérapie génétique mise au point pour créer ses clones.

Le Castor : puissant commanditaire derrière la plupart des méfaits commis par Farine.

Le Castor à sa descente du frigo temporel.

- **MAIS D'OÙ VIENT LA PROPHÉTIE ANCIENNE QUI ANNONÇAIT LES QUATRE FINS DU MONDE ?** Toujours en contact avec Julien-Christophe la nuit, le Castor sait qu'Henry a créé un prototype de machine à remonter le temps. Il infiltre alors l'Agence afin de s'en servir pour remonter à l'époque des Azuls et leur donner lui-même la prophétie des quatre...

- **QUELLE RELATION UNIT TIBÉRIUS ET LE CASTOR ?** Le Castor comprend vite que le président du Premier Continent sera un allié précieux. Chef d'État criminel et corrompu, Tibérius est facile à convaincre : le Castor se sert du frigo temporel pour lui montrer une vision d'avenir terrifiante où ce dernier domine le monde. Tibérius n'a d'autre choix que de s'associer au supervilain et préfère lui offrir son appui plutôt que de se voir éventuellement soumis à l'esclavage. Le Castor révèle également à Tibérius une information que ce dernier désire plus que tout : l'emplacement de l'Agence... une ennemie de longue date qu'il veut absolument neutraliser.

PLUS D'iNFO SUR ALEX A. ET SES SÉRIES BD AU WWW.ALEXBD.COM